故事奇想树

用点心学校5

香蕉不要皮

著 / 林哲璋　　绘 / BO2

青岛出版社
QINGDAO PUBLISHING HOUSE

美食之道——心服口服

【美食之道】

本书能够出版，认真追溯起来，应归功于数千年前仓颉造字——据说，当时"天雨粟，鬼夜哭"！

"天雨粟"是指"天上降下了小米雨"，而小米可以用来煮小米粥、捣小米糯米团、酿小米酒……由此可见，"文字"和"食物"之间的关系真是源远流长啊！

道家说："道法自然！"意指世间真理可以从自然法则中求得。儒家说："食色，性也！"意指喜欢可口食物和美丽事物是人的自然本性。因此，从某种意义上说，美食等于自然，也等于"道"。

"道"是个神秘、伟大并值得追求的理想和目标；弘扬美食文化、重视食品安全，符合伟大的人间正道。此书写了芋头、馒头、窝窝头……内容能让人尝甜头儿，图画有看头儿，连道理也说得"头头是道"！

【惊心味道】

自《老师真够辣》问世后,我到学校和小朋友们见面时,总会问一下:"你们学校的老师辣不辣?"

"辣!"有些学校的小朋友们不假思索,立刻异口同声地回答。此时,男老师们点头如捣蒜,女老师们边点头边露出欣慰的笑容。

"不——辣!"有些学校的小朋友们却给出了否定的答案。此刻,男老师们呆立不作声,女老师们心中五味杂陈,脸上闪烁"七彩霓虹"。

待我追问下去:"辣分微辣、小辣、中辣、大辣、超级辣,也分外在火辣、内在泼辣,你们为何这么肯定地说'不辣'?"

"因为……"之前坚决否定的小朋友们,此刻十分笃定地回答,"我们学校的老师都很——甜!"

【获"eat"(益)良多】

"怎样的书才算是好书?"曾经,我向老师请教,"请

您告诉我……我想写书、出书，当作家。"

"希望你写出'脍炙人口'的作品……"老师语重心长地对我谆谆教诲。

"脍炙人口？"我查字典，知道"脍炙"是"烤熟的肉"的意思。因此，在"用点心学校"系列的第一个故事中，我就把小小布丁人的细皮嫩"肉"拿去"烤"了。

事实证明，小小布丁人果然成了"炙"手可热的人物。而且不仅他是，连他的老师们、同学们也都是！

为了创作精神食粮——书——给小朋友们"看"，我努力寻找灵感，受尽"煎熬"，甚至把冷饭热"炒"，只为让小朋友们能大饱眼福（口福）：看到（吃到）冰淇淋、布丁、糖果、巧克力、爆米花……期待他们获"eat"（益）良多！

【心服口服】

听说真有小朋友获"eat"（益）了！

有小朋友读了《学生真有料》里棺材板男孩儿的故事，因为从未吃过这道点心，于是请教了爸爸妈妈……

"就是厚片吐司

加……＊&%＄非@……"爸爸妈妈比手画脚地努力解释着。

"爸，妈，你们似乎说得很清楚，但我听得很模糊……"小朋友歪着脑袋、皱着眉头。

"就是玉米浓汤加鸡肉……＊&%＄非@……"爸爸妈妈手忙脚乱地奋力说明着。

"爸，妈，你们似乎说得更清楚了，但我听得更模糊了！"小朋友抓着头发、吐着舌头。

最后，爸爸妈妈没办法，只好带孩子到点心店亲自体验。这就是所谓"身"教重于"言"传！

有智慧又幸运的小朋友得到了一个实际"尝"试的机会，品尝味"道"之后，对爸爸妈妈所说的也就——心服口服了。

由此可见，要使人家"心服"，与其说再多，还不如让其直接"口服"——这样方能让人真心信服哇！

小朋友，请多用点儿心读"用点心学校"，体会各种有趣的味"道"，积极吸收精神食粮的营养，展现多多"eat"（益）善的智慧——不怕吃亏，大不了将之当作一道甜点或小菜吃掉！

有"eat"（益）——无害！

目录

打蛋器校长和搅拌棒女士，都争着成为"用点心学校"的新校长，但全校学生投票的结果显示：两人打成平手。

"打牙祭基金会"和家长委员会只好决定——请两位候选人继续竞选，让消费者也来

投票。在这期间，还是由打蛋器校长来担任代理校长，搅拌棒女士负责监督；而"用点心学校"的老师们仍继续认真地教学，学生们也继续努力地学习，好让自己变成好吃又好看的点心……

摇 "滚" 点心·人

"用点心学校"

的各年级、各班级

dōu yǒu fēng yún rén wù hé rè mén měi shí　dāng rán yě yǒu gū pì de
都有风云人物和热门美食，当然也有孤僻的

xué sheng hé lěng mén de diǎn xin　xiǎo xiǎo bù dīng rén bù jǐn shēn zi ruǎn
学生和冷门的点心。小小布丁人不仅身子软，

xīn cháng yě hěn ruǎn　tā cháng cháng zhǔ dòng guān xīn lǎo tóng xué　hái shí
心肠也很软，他常常主动关心老同学，还时

shí bú wàng jié jiāo xīn péng you
时不忘结交新朋友。

shòu dào xiǎo xiǎo bù dīng rén bāng zhù de tóng xué hěn duō　bào dá xiǎo
受到小小布丁人帮助的同学很多，报答小

xiǎo bù dīng rén ēn qíng de tóng xué yě bù shǎo　zuì hòu dà jiā dōu chéng le
小布丁人恩情的同学也不少，最后大家都成了

hǎo péng you
好朋友。

qí zhōng　xiǎo xiǎo bù dīng rén zuì cháng xiǎng qi de　jiù shì zhè
其中，小小布丁人最常想起的，就是这

yí wèi le
一位了……

当初这个可怜的同学来"用点心学校"报到时，就被怀疑不符合条件，被劝告打消来这里求学的念头，但他依然坚持。为此，两位校长候选人、主任和老师们召开了无数次会议，填写了几百份报告，依然决定不了——是不是要收他当学生？可不可以让他进教室？

"他够资格吗？"

tā fú hé tiáo jiàn ma
"他符合条件吗？"

tā suàn diǎn xin ma
"他算点心吗？"

tā de wèi lái yǒu xī wàng ma
"他的未来有希望吗？"

zhè tiān huì yì shì li bú duàn xiǎng qi zhì yí de shēng yīn
这天，会议室里不断响起质疑的声音，

bù shí chuán chu fǎn duì de yì jian bú guò zuì hòu de tóu piào jié guǒ
不时传出反对的意见。不过，最后的投票结果

xiǎn shì jù shōu bǐ jiē shòu shǎo le yí piào yòng
显示："拒收"比"接受"少了一票……"用

diǎn xin xué xiào jué dìng lù qǔ zhè
点心学校"决定录取这

ge tóng xué
个同学。

13

dàn shì　　xiǎo xiǎo bù dīng rén zhè ge hǎo péng you qiú xué de qíng
但是，小小布丁人这个好朋友求学的情

kuàng bìng méi you yīn cǐ hǎo zhuǎn　fǎn ér yù fā jiān nán
况 并没有因此好转，反而愈发艰难……

kāi xué dì yī tiān　　tā xuǎn le kè　　xiǎng jìn jiào shì zhǎo zuò wei
开学第一天，他选了课，想进教室找座位

zuò xia shí　　bú liào mù chǔ lǎo shī yí jiàn tā jiù shuō　　gǔn
坐下时，不料木杵老师一见他就说："滚！"

nà yí kè　　tā suī rán méi gǔn chu jiào shì　　dàn yǎn lèi yǐ jīng
那一刻，他虽然没滚出教室，但眼泪已经

zài hóng hóng de yǎn kuàng li gǔn lái gǔn qù le
在红红的眼眶里滚来滚去了。

在课堂上，老师没有继续对他说："滚！"

但是，同学们却纷纷说："滚！快滚！"

这时，他的泪珠儿不是在眼眶里打转儿，

而是真的滚下脸颊了……

面对这一切，这个学生不灰心、不气馁，

一心一意地希望自己能成为造福人类的点心。

"你真的不想滚吗？……"小小布丁人小心翼翼地问。每天都听到这个好朋友诉苦，小小布丁人很为他担心。

"人家叫我滚，我偏不滚！"小小布丁人的这个好朋友有些赌气地说。

"我一直想跟你说这件事，但一直没有机会……"小小布丁人努力地安慰好朋友，希望他别一听到"滚"字就伤心，因为老师们和同学们对他说"滚"

并没有恶意。

"是什么事？你是我的好朋友，有话请直说！"这个被全校师生一致要求"滚"的同学，对小小布丁人十分信任——

因为他们彼此间的

友情很深厚。

17

wǒ xiǎng gēn nǐ shuō de shì lǎo shī men hé tóng xué men jiào
“我想跟你说的是……老师们和同学们叫

nǐ gǔn bú shì yào nǐ gǔn chu qu ér shì yào nǐ rè gǔn gǔn gǔn
你滚，不是要你滚出去，而是要你热滚滚、滚

tàng tàng xī wàng nǐ bǎ zì jǐ jiā rè dào fèi téng zuò hǎo
烫烫——希望你把自己加热到沸腾——做好

shā jūn de gōng zuò wán chéng xiāo dú de chéng xù zài jìn jiào shì xué
杀菌的工作，完成消毒的程序，再进教室学

dāng diǎn xin xiǎo xiǎo bù dīng rén xiāng dāng zhēn chéng de shuō bái kāi
当点心。”小小布丁人相当真诚地说，“白开

shuǐ tóng xué nǐ wù huì le dà jiā shì yòng
水同学，你误会了，大家是用

xīn liáng kǔ ér bú shì xiǎng ràng nǐ shòu kǔ
心良苦，而不是想让你受苦！”

bái kāi shuǐ rén tīng le zhèn jīng de chà
白开水人听了，震惊得差

diǎnr cóng yǐ zi shang gǔn xia lai bú guò tā
点儿从椅子上滚下来，不过他

zhōng yú jiě kai le xīn zhōng de gē da
终于解开了心中的疙瘩。

qí shí lǎo shī men hé tóng xué men měi
其实，老师们和同学们每

cì jiàn dào bái kāi shuǐ rén hóng zhe yǎn kuàng pǎo chu
次见到白开水人红着眼眶跑出

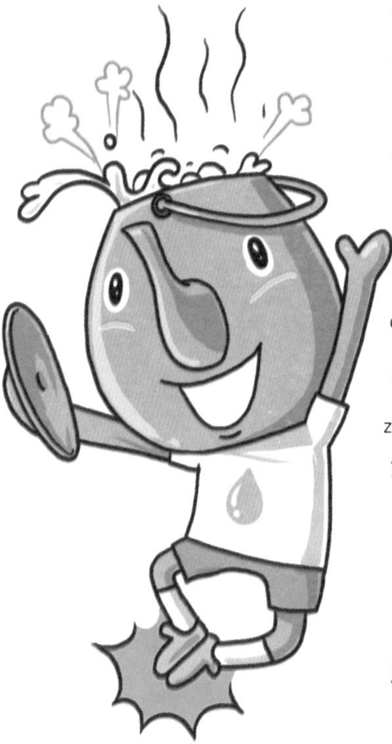

jiào shì dōu yǒu xiē bù zhī suǒ cuò dōu bù zhī dao gāi zěn me gēn tā
教室，都有些不知所措，都不知道该怎么跟他

jiě shì
解释。

xìng hǎo xiǎo xiǎo bù dīng rén zhí jiē shuō chu le zhēn xiàng huà jiě
幸好，小小布丁人直接说出了真相，化解

le wù huì shǐ de bái kāi shuǐ rén bú zài yǐ wéi lǎo shī men huài tóng
了误会，使得白开水人不再以为老师们坏、同

xué men chà yì tiān dào wǎn qī fu tā pái jǐ tā
学们差，一天到晚欺负他、排挤他。

bái kāi shuǐ tóng xué kuài gǔn kuài gǔn dì èr
"白开水同学，快滚！""快滚！"第二

天，白开水人一进教室，讲台上的奶瓶老师、座位上的同学们又一声声地鼓励他。

"遵命！"白开水人脸一挤，气一憋，全身立刻冒泡又冒烟……不久，他的体温就上升到一百摄氏度。这时，奶瓶老师笑了，同学们乐了——奶瓶老师和奶粉妹妹马上冲上来，拉着白开水人的手去练习冲奶粉，连五谷粉小子也来抢人呢！

不用别人叫他"滚"、自己主动"滚"的白开水人，在得到大家喜爱的同时，更重拾了信心。

白开水人变得很自信之后，不论谁叫他"滚"，他都不再觉得别人是在嘲笑他、排挤他，反而觉得那是在鼓励他、夸奖他。

例如：有一天，鸡蛋弟弟一边滚过来，一边跟他打招呼："白开水人，滚蛋、滚蛋！"

小小布丁人担心白开水人又误会，正准备提醒他鸡蛋弟弟没有恶意时，白开水人早以"迅雷不及掩耳、一按就有热水"的速度，用滚水把鸡蛋弟弟煮成了白煮蛋！

还有一次，冬瓜弟弟背书背不出来，在教室里猛敲自己的头，把自己敲得又矮又胖。白开水人看了于心不忍，就上前花时间和他一起背。虽然冬瓜弟弟一见白开水人，就当面叫他"滚"，可是白开水人一点儿都不介意，半点儿也没误会，反而认真地帮助冬瓜弟弟把书背得"滚瓜"烂熟。

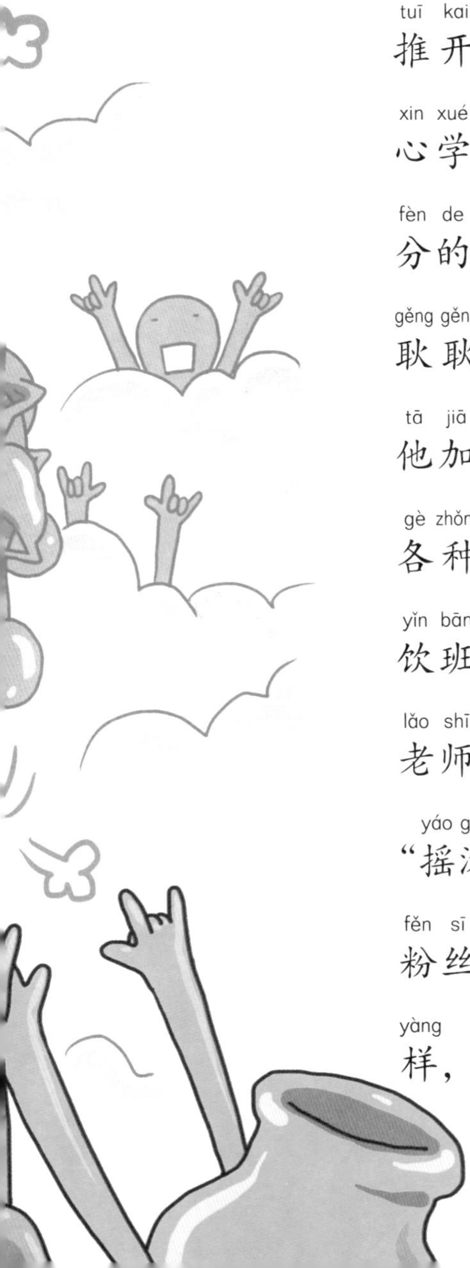

bái kāi shuǐ rén dǎ kāi le xīn fáng
白开水人打开了心房、
tuī kai le xīn chuāng fā xiàn yòng diǎn
推开了心窗，发现“用点
xin xué xiào chù chù yǒu ràng tā zhǎn xiàn tiān
心学校”处处有让他展现天
fèn de wǔ tái rén rén dōu shì tā zhōng xīn
分的舞台，人人都是他忠心
gěng gěng de fěn sī dà jiā zhēng zhe yāo
耿耿的粉丝。大家争着邀
tā jiā rù gè dà shè tuán qǐng tā cān jiā
他加入各大社团，请他参加
gè zhǒng huó dòng tā yóu cǐ rèn shi le chá
各种活动。他由此认识了茶
yǐn bān de shí xí jiào shī yáo yáo bēi
饮班的实习教师——摇摇杯
lǎo shī liǎng rén yì qǐ hé zuò zǔ chéng
老师。两人一起合作，组成
yáo gǔn yuè tuán hěn kuài yuè tuán de
“摇滚”乐团。很快，乐团的
fěn sī rén shù jiù xiàng gǔn xuě qiú yí
粉丝人数就像“滚”雪球一
yàng yù gǔn yù dà
样，愈“滚”愈大！

xiào qìng shí　　tā men jǔ bàn le　yì chǎng cí shàn mù juān yǎn chàng
校庆时，他们举办了一场慈善募捐演唱

huì　　rén qì rè gǔn gǔn　juān kuǎn gǔn gǔn lái　xiǎo xiǎo bù dīng rén yě
会，人气热滚滚，捐款滚滚来。小小布丁人也

zhàn zài rén qún li　　gǔ zhǎng huān hū　duò jiǎo jiān jiào　suī rán tā tīng
站在人群里，鼓掌欢呼，跺脚尖叫；虽然他听

26

不太清楚白开水人在唱什么，但是他可以确定，台下的粉丝（不仅有粉丝小妹，还有其他点心人）个个都——沸腾啦！

校庆结束后，白开
水人成了最热门的人
物：老师们抢着要收这
个学生，同学们争着
要交这个朋友，而且不
管消费者上哪家餐厅用
餐，点心人还没过来服
务，白开水人就抢先出
来招待客人了……白开
水人忙得不得了，也愈
来愈没空儿和小小布丁
人见面、聊心事。

29

cǎo méi táng hú lu xiǎo mèi pǎo lai ān wèi xiǎo xiǎo bù dīng rén
草莓糖葫芦小妹跑来安慰小小布丁人：

nǐ shì bái kāi shuǐ rén zài xué xiào li jiāo de dì yī gè péng you kàn
"你是白开水人在学校里交的第一个朋友，看

dào xiàn zài zhè yàng de qíng kuàng huì bú huì jué de yǒu diǎnr jì mò
到现在这样的情况，会不会觉得有点儿寂寞？"

30

“怎么会呢？”小小布丁人深深懂得交朋

友的道理，他微笑着说，“我和白开水人是

‘君子之交淡如水’——品德高尚的人，彼此

之间的友情像水一样，又清澈又干净，滋味虽

淡却长久而亲切！”

香蕉弟弟不要皮

xiāng jiāo dì di bú yào pí

xué qī mò de bì yè diǎn lǐ shang liǎng wèi xiào zhǎng hòu xuǎn
学期末的毕业典礼上，两位校长候选

rén wèi le shéi xiān zhì cí jìng rán zài dà lǐ táng de jiǎng tái shang
人为了谁先致辞，竟然在大礼堂的讲台上

niǔ dǎ le qǐ lái jiǎo bàn bàng nǚ shì niǔ a niǔ dǎ dàn
"扭""打"了起来（搅拌棒女士扭啊扭，打蛋

器校长 打啊打）！在一片混乱中，擀面杖主任急忙把两位校长候选人拉下台，推着毕业生代表水饺小子上台致辞。

水饺小子紧张地擦了擦挂在额头上的芝麻油珠儿，好不容易才开口说：“从前，我很'皮'，大家都叫我水饺皮。自从来到'用点心学校'，受到师长们的教诲，得到同学们的鼓励，我渐渐成长为有内涵的点心、超热门的美食，不但心灵变得强大了，体魄也强健了……

后来，大家都叫我水饺，不再说我'皮'了！”台下的春卷皮、蛋饼皮、馄饨皮等学生一致叫好，不停欢呼！

xiǎo xiǎo bù dīng rén xiǎng qǐ yí gè hǎo péng you yuán běn yě shì
小小布丁人想起一个好朋友，原本也是

gōng rèn de pí gāng rèn shi tā de shí hou suǒ yǒu de lǎo
公认的"皮"——刚认识他的时候，所有的老

shī hé tóng xué dōu jiào tā dòu fu pí hòu lái tā hé xiǎo cōng dòu
师和同学都叫他豆腐皮。后来，他和小葱、豆

腐、胡萝卜、香菇、金针菇以及奶酪等好朋友

合作，在涮涮锅老师的班上努力学习，从此

大家不再嫌他皮，反而改口叫他"福袋"！

^{yòng diǎn xin xué xiào} ^{jiù shì zhè me yí gè hǎo dì fang} ^{suǒ}
"用点心学校"就是这么一个好地方，所

^{yǐ} ^{cái yǒu nà me duō diǎn xin rén de fù mǔ fàng xīn de bǎ bǎo bèir}
以，才有那么多点心人的父母放心地把宝贝儿

^{sòng dào zhèr} ^{lái xué xí}
送到这儿来学习。

^{là jiāo lǎo shī de}
辣椒老师的

^{xiǎo zhír} ^{là jiāo xiǎo zi}
小侄儿辣椒小子，

^{yě shì yí gè hǎo lì zi}
也是一个好例子。

由于姑姑在"用点心学校"当老师，他就被送到这所学校当学生。

辣椒老师不但外表火辣、说话辛辣，个性更是泼辣。不过，她对其他的小朋友很温柔，唯独对自己的小侄儿总是一副火暴脾气。

zhǐ yào là jiāo xiǎo zi tiáo pí dǎo dàn huò wán pí xī nào　　là jiāo
只要辣椒小子调皮捣蛋或顽皮嬉闹，辣椒

lǎo shī jiù huì zhuī zhe tā　　miàn hóng ěr chì de dà hǒu dà jiào　　zhè
老师就会追着他，面红耳赤地大吼大叫："这

cì　　wǒ yí dìng yào bāo le nǐ de pí
次，我一定要剥了你的皮！"

là jiāo xiǎo zi zé shì yì biān pǎo　　yì biān duì tā de gū gu
辣椒小子则是一边跑，一边对他的姑姑

hǎn　　lái ya　　lái zhuī wǒ ya　　lái bāo wǒ de pí ya
喊："来呀！来追我呀！来剥我的皮呀！"

xiào yuán li　　zhuī zhú de chǎng miàn shí cháng chū xiàn　　gū zhí jiān
校园里，追逐的场面时常出现，姑侄间

de dòu fǎ jīng cháng shàng yǎn zhè ràng jiào wù chù de bō li guàn
的 "斗法" 经常上演。这让教务处的玻璃罐

zhǔ rèn yǒu le líng gǎn shè jì le xīn kè chéng péi yǎng chū jiàng cài
主任有了灵感，设计了新课程，培养出酱菜

jiè de míng rì zhī xīng jī tāng jiè de wèi lái xīn xiù bāo pí là
界的明日之星、鸡汤界的未来新秀——剥皮辣

jiāo bāo pí là jiāo xiǎo zi bú dàn chéng wéi yǒu míng de dì fāng tè chǎn
椒！剥皮辣椒小子不但成为有名的地方特产，

hái rù xuǎn dāng dì shí dà bàn shǒu lǐ ne
还入选当地十大伴手礼呢！

“用点心学校”不仅把很“皮”的小朋友

变得“不皮”；有时候，对太害羞、太乖巧的

小朋友，也会把他们教得活泼一点儿、外向

一点儿、有活力一点儿——换句话说，就是

“皮”一点儿啦！

例如：小小

布丁人经过“烤”

yàn yǐ hòu biàn chéng le cuì pí jiāo táng bù dīng jī dàn gāo
验以后，变成了脆“皮”焦糖布丁；鸡蛋糕
rén kǎo de jiǔ yì diǎnr jiù huì kǎo chu yì céng xiāng tián de jiāo
人“烤”得久一点儿，就会烤出一层香甜的焦
pí tā men liǎ yīn cǐ biàn de huó po wài xiàng huó lì shí zú
“皮”。他们俩因此变得活泼外向、活力十足，
gèng jiā shòu xiāo fèi zhě xǐ ài hé huān yíng
更加受消费者喜爱和欢迎。

qí zhōng zuì lìng xiǎo xiǎo bù dīng rén yìn xiàng shēn kè de shì
其中，最令小小布丁人印象深刻的，是
lìng yí gè hǎo péng you xiāng jiāo dì di de qí
另一个好朋友香蕉弟弟的奇
miào zāo yù
妙遭遇。

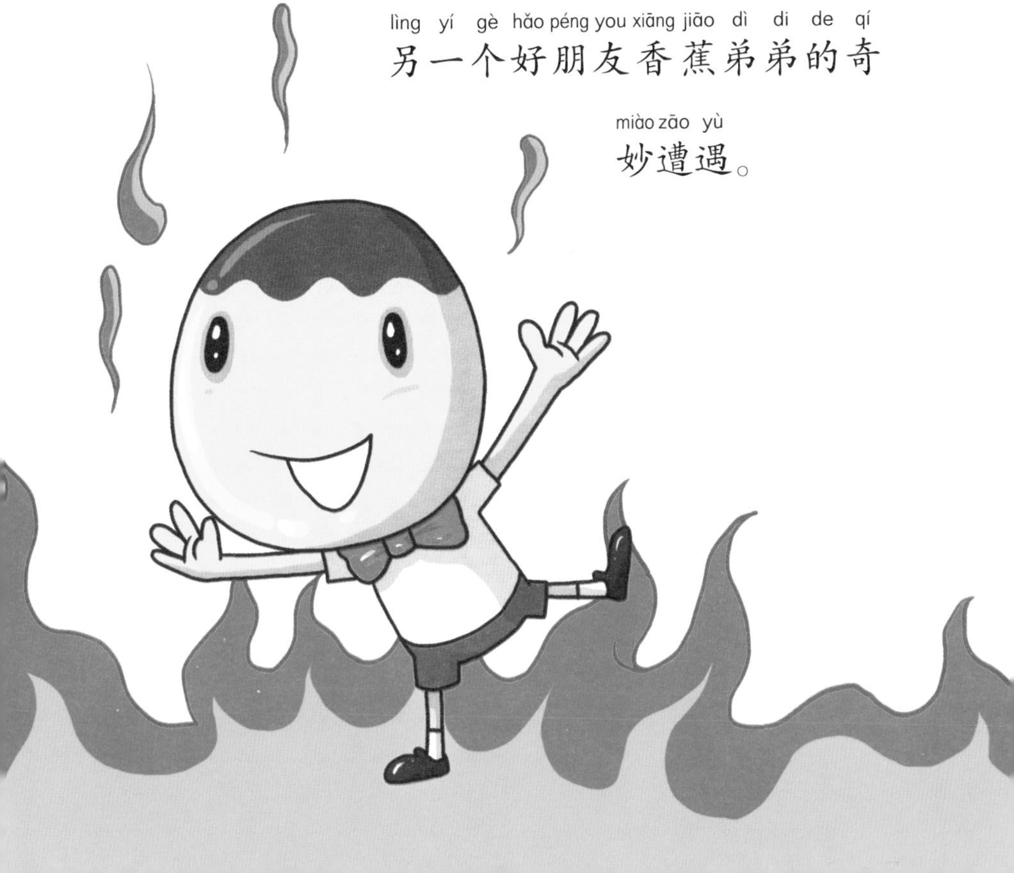

xiǎo xiǎo bù dīng rén yì zhí rèn wéi xiāng jiāo dì di duì rén
小小布丁人一直认为香蕉弟弟对人
qiān xū yǒu lǐ yì diǎnr dōu bù pí yīn wei tā yì tiān
谦虚有礼，一点儿都不皮——因为他一天
èr shí sì xiǎo shí dōu shì wān yāo jū gōng de mú yàng zhēn de hěn
二十四小时都是弯腰鞠躬的模样，真的很
yǒu jiào yǎng chāo yǒu lǐ mào tā
有教养，超有礼貌！他
néng hé pí zhān biānr de
能和“皮”沾边儿的，
dà gài zhǐ yǒu tóng xué men xǐ huan
大概只有“同学们喜欢
ná tā de xiāng jiāo pí wài tào qù hài
拿他的香蕉皮外套去害
rén diē dǎo zhè jiàn shì
人跌倒”这件事。

dàn shì yǒu yì tiān xiāng jiāo dì di zài
但是有一天，香蕉弟弟在
xué xiào li shòu le wěi qu bù gǎn dāng miàn
学校里受了委屈，不敢当面
gēn rén qǐ chōng tū zhǐ hǎo lā zhe xiǎo xiǎo
跟人起冲突，只好拉着小小
bù dīng rén yì qǐ huí jiā gào su mā ma
布丁人一起回家告诉妈妈。

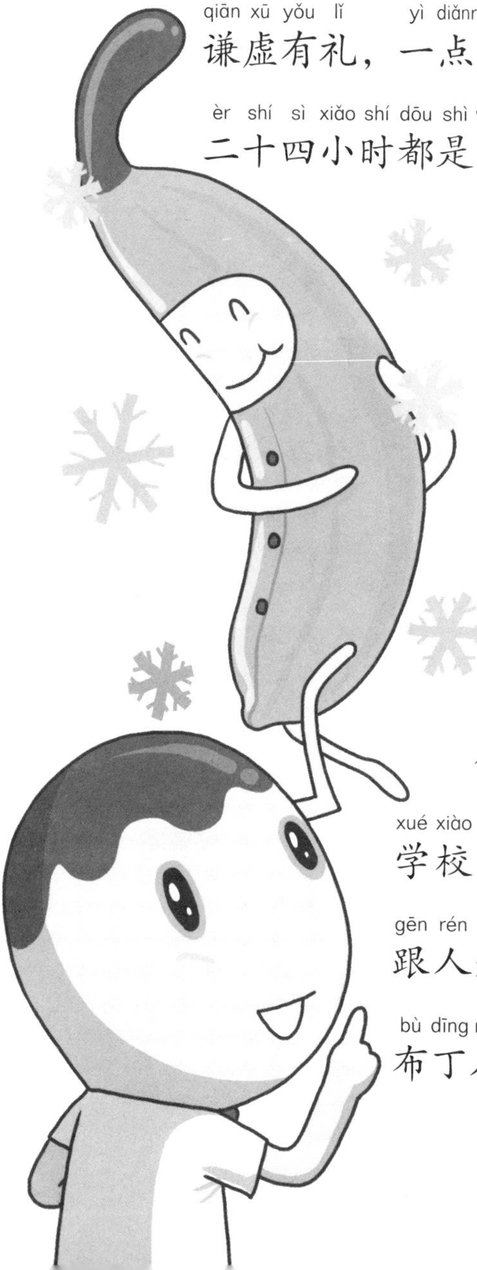

"妈，有个同学欺负我！"香蕉弟弟一路哭着回家，一进门就冲进妈妈的怀里，说，"今天在果汁班上课时，我想和鲜奶少女合作香蕉牛奶，却被西瓜小子插队了。他还不断地扯我的香蕉皮外套，嘲笑我说：

'香蕉皮！失恋要吃香蕉皮！'"

香蕉妈妈一时不知道该怎么安慰儿子，只好说："你不要跟西瓜小子争，可以先去找冰淇淋女孩儿合作香蕉船冰淇淋，干吗急着学当果汁呢?！"

"我就是想学做果汁！"香蕉弟弟这时倒是很有主见，说话也非常有条理，"我本来想一个人找榨汁机老师练习，但是没有人会喝纯香蕉汁，而饮料店只卖香蕉牛奶……再说，西瓜小子自己就可以当西瓜汁，为什么要跟我抢鲜奶少女呀？"

"你该不会是因为失

qù le hé xiān nǎi shào nǚ hé zuò de jī hui cái shāng xīn de ba bú
去了和鲜奶少女合作的机会，才伤心的吧？不
guò xī gua xiǎo zi shuō de yě méi cuò xiāng jiāo mā ma wú nài de
过西瓜小子说得也没错……”香蕉妈妈无奈地
biǎo shì shī liàn yào chī xiāng jiāo pí dí què yǒu zhè zhǒng shuō
表示，“‘失恋要吃香蕉皮！’的确有这种说
fa xiāng jiāo pí yòu kǔ yòu sè gēn shī liàn de zī wèi zhēn de
法，香蕉皮又苦又涩，跟失恋的滋味真的
hěn xiàng zhè ràng wǒ xiǎng qi nǐ bà ba dì yī cì yuē wǒ de qíng jǐng
很像！这让我想起你爸爸第一次约我的情景，
wǒ méi mǎ shàng dā ying jié guǒ tā dāng chǎng jiù yǎo qǐ zì jǐ de lǜ
我没马上答应，结果他当场就咬起自己的绿
sè pí wài tào lai hái bù tíng de liú zhe yǎn lèi shuō hǎo kǔ
色皮外套来，还不停地流着眼泪说：‘好苦、
hǎo sè ya zhè pí de zī wèi jiù gēn wǒ xiàn zài
好涩呀！这皮的滋味就跟我现在
de xīn qíng yí yàng zhēn de hǎo kǔ hǎo
的心情一样，真的好苦、好
sè ya tā yì shī liàn pí fū mǎ
涩呀！’他一失恋，皮肤马
shàng biàn de hǎo gān liǎn yě biàn de hǎo lǜ
上变得好干，脸也变得好绿，
wán quán bú xiàng xiàn zài
完全不像现在……”

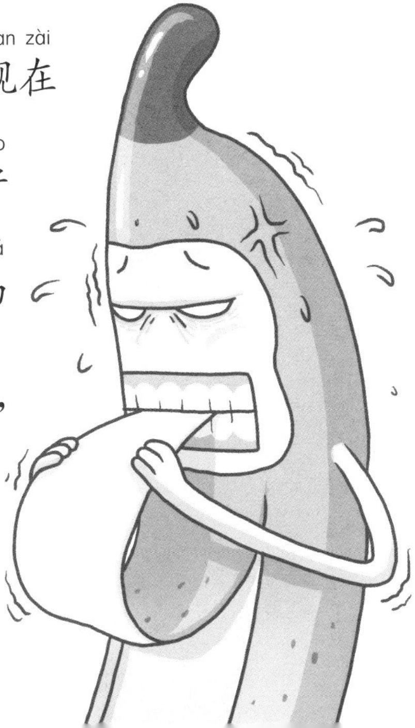

"那是因为当时爸爸不太成熟，也就是还没熟透啦！"香蕉弟弟说话时，眼泪依然流个不停。

"的确！正因为那时他跟我还不'熟'，所以我才没答应他约会的要求。不过说也奇怪，你爸爸一哭完，马上又露出微笑、鼓起勇气，一次又一次地约请我……后来，我们渐渐变成熟识的朋友，然后就成为一对相爱的情侣……"香蕉妈妈一回想起往事，脸就红得不像香蕉，倒像苹果了。

"妈，我的朋友小小
布丁人在这里呢！拜托您
别再讲以前的事啦！以
后，我不想穿香蕉皮外
套上学了，我想光溜溜
地去学校，免得大家见了
我，不是想拿香蕉皮外套
去恶作剧，就是指着它哈
哈大笑。"

"不穿香蕉皮外套
上学？别闹了……快
去写作业！"香蕉妈妈

心想，她的儿子要是真的光着身子去上学，被老师责骂是小事，被邻居耻笑才丢脸呢……她烦躁得有点儿想发火，但因为有小小布丁人在，只好咬着牙说："等你年纪够大，变成'香蕉干儿'后再说！"

xiāng jiāo dì di kū kū tí tí de hé xiǎo xiǎo bù dīng rén zǒu huí
香蕉弟弟哭哭啼啼地和小小布丁人走回

fáng jiān　　tā men yì qǐ zuò zài shū zhuō qián　　zhǔn bèi pái liàn lǎo shī
房间。他们一起坐在书桌前，准备排练老师

bù zhì de biǎo yǎn kè zuò yè　　fàn hòu tián diǎn hé shuǐ guǒ de duì
布置的表演课作业——饭后甜点和水果的对

kǒu xiàng sheng
口相声。

“爸爸妈妈都是这样的……你别想太多。”

小小布丁人安慰香蕉弟弟说，“不穿香蕉皮外套上学，不但不好看，而且容易受伤，还会沾上泥沙，这样实在很不卫生，可能会被老师处罚。”

虽然布丁不是天生带皮的点心，可是小小布丁人知道，除非在服务顾客时被放到稳固的

56

pán zi shang　bù rán méi le bēi zhuàng
盘子上，不然没了杯状

wài tào　tā huá nèn de shēn zi suí
外套，他滑嫩的身子随

shí dōu kě néng shòu shāng
时都可能受伤。

nǐ　zěn　me　gēn
"你怎么跟

wǒ mā ma shuō yí yàng de
我妈妈说一样的

huà　xiāng jiāo dì di
话？"香蕉弟弟

suī rán zuǐ shang zhè me shuō
虽然嘴上这么说，

xīn li　què zhī dao hǎo yǒu
心里却知道好友

shuō de shì shí huà　dàn
说的是实话，但

tā hái shi yǒu xiē mèn mèn
他还是有些闷闷

bú lè　rěn bú zhù āi
不乐，忍不住唉

shēng tàn qì qi lai
声叹气起来。

bié xiǎng nà me duō le míng tiān wǒ yào dào dàn gāo nǚ háir
“别想那么多了，明天我要到蛋糕女孩儿

de bān shang xué xí rú hé biàn chéng bù dīng dàn gāo nǐ yě yì qǐ lái
的班上学习如何变成布丁蛋糕，你也一起来

xué xí dāng xiāng jiāo dàn gāo ba tīng shuō tā bān shang de lǎo shī hěn lì
学习当香蕉蛋糕吧！听说她班上的老师很厉

hai lián xiāng jiāo tiáor zhè zhǒng hǎo chī de diǎn xin dōu huì jiāo ne
害，连香蕉条儿这种好吃的点心都会教呢！

yòng diǎn xin xué xiào zhuān mén bǎ hěn pí de xiǎo péng yǒu biàn de bù pí
‘用点心学校’专门把很皮的小朋友变得不皮，

nǐ fàng xīn ba xiǎo xiǎo bù dīng rén fēi cháng
你放心吧！”小小布丁人非常

nǔ lì de ān wèi zhe zhè ge hǎo péng you zuì
努力地安慰着这个好朋友。最

hòu tā zhǐ zhe xiāng jiāo dì di de pí wài tào
后，他指着香蕉弟弟的皮外套，

kāi wán xiào de shuō kàn kan nǐ jiāo lǜ de
开玩笑地说：“看看你，焦虑得

quán shēn dōu biàn de gèng lǜ le qǐng bú yào zài
全身都变得更绿了，请不要再

jiāo lǜ xia qu la
‘蕉绿’下去啦……”

皮真好——真的好皮！

pí zhēn hǎo zhēn de hǎo pí

第二天，小小布丁人来找香蕉弟弟一起去上学。一路上，香蕉弟弟仍然喃喃自语着："为什么失恋的人要吃我们香蕉的皮？很多水果的皮也又苦又涩，吃起来很像人们悲伤、失望、痛苦、难过的心情啊！为什么只选香蕉的皮来吃？我们香蕉真倒霉……"虽然香蕉弟弟不是苦瓜，现在却有了一张苦瓜脸。

午休时间，米血糕小子邀约天妇罗女孩儿周末一起去看电影，却被拒绝了。所以，他在走廊上一遇见香蕉弟弟，就连皮带人一口咬下去。

mǐ xuè gāo xiǎo zi yǎo wán yǐ hòu　　mǎ shàng shuō chu zì jǐ de
米血糕小子咬完以后，马上说出自己的

gǎn shòu　　xiāng jiāo pí de zī wèi guǒ zhēn hěn kǔ　　hěn sè　　jiù xiàng
感受："香蕉皮的滋味果真很苦、很涩，就像

wǒ xiàn zài shī liàn de xīn qíng a
我现在失恋的心情啊！"

香蕉弟弟放声大哭。果汁班的榨汁机老师立刻赶过来，关心地问："香蕉弟弟，有没有受伤？被咬的地方是不是很痛啊？"

"不……不是啦！米血糕小子的牙齿跟米饭一样软，咬人怎么可能痛啊！"香蕉弟弟哭

得更大声了。他一边流泪，一边说："我是心痛啦！到底是谁最先提出了'失恋要吃香蕉皮'这种说法？大家都笑我……害得我好忧郁呀！"

yōu yù　　　　zhà zhī jī lǎo shī mō le mō xiāng jiāo dì di de

"忧郁？"榨汁机老师摸了摸香蕉弟弟的

é tou　　tīng le tīng tā de xīn tiào　　liáng le liáng tā de mài bó　　rán

额头，听了听他的心跳，量了量他的脉搏，然

hòu bǎi chu yí fù　yī shēng de jià shi shuō　　mèn mèn bú lè　　tí bù

后摆出一副医生的架势说，"闷闷不乐？提不

qǐ jìnr　　nǐ kàn qi lai dí què hěn bú kuài lè　　hěn jiǎn dān

起劲儿？你看起来的确很不快乐。很简单……

nǐ yǎo yì kǒu zì jǐ de pí　　jiù hǎo le

你咬一口自己的皮，就好了！"

66

"什么?!"香蕉弟弟、小小布丁人和围在

一旁的其他点心人,异口同声地大喊。

"老师,您没搞错吧?"身为香蕉弟弟的

好朋友,小小布丁人马上向榨汁机老师确认。

"老师不会

骗你的……试试

看!"榨汁机老

师对香蕉弟弟

说。他看起来一

副很诚恳的模

样,一点儿都不

像在开玩笑。

xiāng jiāo dì di shāng xīn jí le   shén me dōu bú qù xiǎng   shén

香蕉弟弟伤心极了，什么都不去想，什

me dōu bú zài yì   zhēn de yǎo le zì jǐ de pí wài tào yí dà

么都不在意，真的咬了自己的皮外套一大

kǒu   guò le yí huìr   shén qí de shì qing fā shēng le

口……过了一会儿，神奇的事情发生了！

wǒ jué de xīn

"我觉得心

qíng hǎo shū chàng   hǎo

情好舒畅、好

yú kuài ya   xiāng jiāo

愉快呀！"香蕉

dì di tū rán lù chu wēi xiào　　tiào qǐ wǔ lai　　tā yì biān huān lè de
弟弟突然露出微笑，跳起舞来。他一边欢乐地

zhuàn quānr　　　yì biān xiǎng liàng de hēng gē
转圈儿，一边响亮地哼歌……

xiǎo xiǎo bù dīng rén hé qí tā tóng xué xià le yí dà tiào　　yǐ wéi
小小布丁人和其他同学吓了一大跳，以为

tā zhòng mó le　　　jiǎn zhí biàn chéng le lìng wài yí gè rén
他中魔了——简直变成了另外一个人！

zhà zhī jī lǎo shī jiàn guài bú guài de jiě shì zhe xiāng jiāo shì
榨汁机老师见怪不怪地解释着："香蕉是
fēi cháng hǎo de shuǐ guǒ bú dàn yíng yǎng fēng fù hái yǒu zhòng yào de
非常好的水果，不但营养丰富，还有重要的
bǎo jiàn zuò yòng gèng lìng rén zàn tàn de shì lián xiāng jiāo pí yě yòng
保健作用……更令人赞叹的是，连香蕉皮也用
chù duō duō ne tā bú dàn kě yǐ yòng lái dàng qīng jié jì hái shi yí
处多多呢！它不但可以用来当清洁剂，还是一
wèi yào cái yǒu kàng yōu yù de xiào guǒ xiàng xiāng jiāo dì di zhè ge
味药材——有抗忧郁的效果。像香蕉弟弟这个
nián jì chuān de lǜ sè xiāng jiāo pí xiào
年纪穿的绿色香蕉皮，效
guǒ zuì hǎo nǐ men kàn yīn
果最好！你们看，因
wei xiāng jiāo dì di zì jǐ
为香蕉弟弟自己
jiù shì xiāng jiāo suǒ yǐ
就是香蕉，所以
yòng xiāng jiāo pí zhì liáo yōu
用香蕉皮治疗忧
yù de xiào guǒ gèng shì jiā
郁的效果更是加
bèi
倍……"

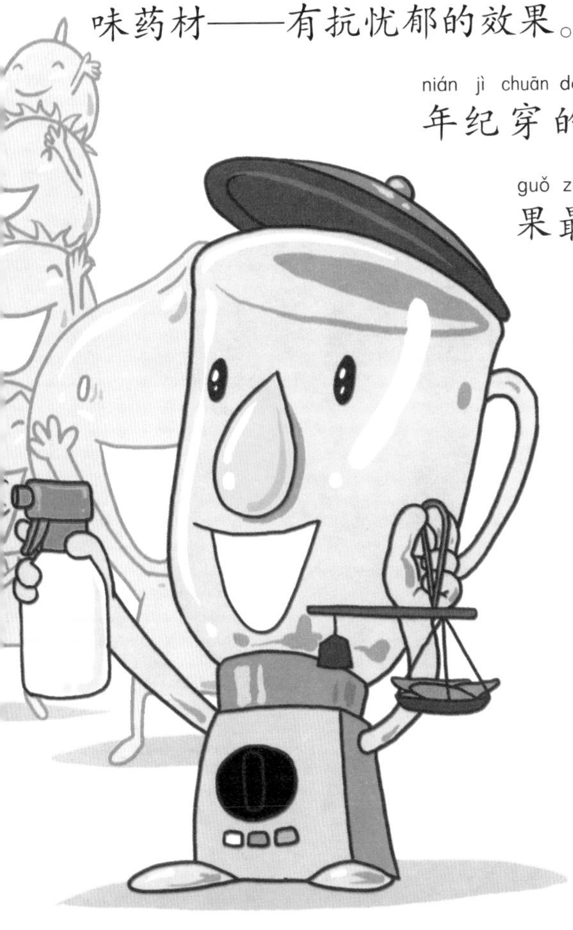

榨汁机老师的话还没说完，刚咬过香蕉皮的米血糕小子，就从走廊的另一头儿走了过来。他一边吹口哨儿，一边跟朋友打招呼——完全不是刚刚那副伤心、苦恼的模样。

"原来，传说中的'失恋要吃香蕉皮'，不是因为香蕉皮的味道又苦又涩，而是因为香蕉皮真的能消除忧郁、振奋精神和提高信心哪！"

香蕉弟弟认识到自己的长处和天分以后，心情大好，成了性格开朗的阳光男孩儿！

“焦虑的时候，果然要吃香‘蕉’的‘绿’皮呀！”小小布丁人有新发现地说。虽然水饺小子、剥皮辣椒小子……是从很皮变得不皮，而成了“用点心学校”的模范生，但是小小布丁人从香蕉弟弟的身上更加了解到——皮，不是没有好处的！

甜滋滋的蜂蜜·少女
tián zī zī de fēng mì shào nǚ

这学期，小小布丁人认识了一个新朋
zhè xué qī xiǎo xiǎo bù dīng rén rèn shi le yí gè xīn péng

友，她有着金色的皮肤、晶莹的身体、甜
you tā yǒu zhe jīn sè de pí fū jīng yíng de shēn tǐ tián

美的笑容，还有浓郁的香气。"用点心学
měi de xiào róng hái yǒu nóng yù de xiāng qì yòng diǎn xin xué

校"的师生、美食街的顾客见到
xiào de shī shēng měi shí jiē de gù kè jiàn dào

她，总是亲昵地叫她"Honey！
tā zǒng shì qīn nì de jiào tā

Honey！"她的人缘儿真好，人
tā de rén yuánr zhēn hǎo rén

气超高。
qì chāo gāo

无论是饮料还是点心，只要有她加入，不但卖相变好，还能提高身价。她既是点心品质的保证，也是饮料香甜的象征！

她，就是蜂蜜少女，英文名字叫 Honey！

小小布丁人上英文课时，只要一叫她的英文名字，立刻脸红得像个草莓布丁。

fēng mì shào nǚ hé dàn gāo nǚ háir　　hé zuò tuī chū de fēng mì dàn
蜂蜜少女和蛋糕女孩儿合作推出的蜂蜜蛋

gāo　　dà shòu huān yíng
糕，大受欢迎，

huǒ dào lián gāng jié hūn
火到连刚结婚

de xīn rén dōu yòng tā
的新人都用它

dàng xǐ bǐng　xīn shēng
当喜饼、新生

ér de fù mǔ dōu yòng
儿的父母都用

tā dàng mǎn yuè lǐ lái
它当满月礼来

zèng sòng qīn yǒu
赠送亲友。

78

^{qǐng wèn nǐ men wèi shén me yào yòng fēng mì dàn gāo lái dàng xǐ bǐng}
"请问你们为什么要用蜂蜜蛋糕来当喜饼

^{ne} ^{měi shí jié mù de zhǔ chí rén dào dàn gāo diàn cǎi fǎng gòu mǎi fēng}
呢？"美食节目的主持人到蛋糕店采访购买蜂

^{mì dàn gāo de xīn rén}
蜜蛋糕的新人。

^{yīn wei wǒ men shì bǐ cǐ de} ^{qīn ài de rén}
"因为我们是彼此的 honey（亲爱的人）

^{ya} ^{xīn niáng zi xǐ zī zī} ^{xiào mī mī de huí}
呀！"新娘子喜滋滋、笑眯眯地回

^{dá} ^{zhěng gè rén dōu chén jìn zài fēng mì nà tián}
答，整个人都沉浸在蜂蜜那甜

^{mì mì de qì fen li}
蜜蜜的气氛里。

^{méi you rén bú ài fēng mì shào}
没有人不爱蜂蜜少

^{nǚ} ^{xiǎo xiǎo bù dīng rén yě tiān tiān}
女，小小布丁人也天天

^{pàn wàng zhe néng hé tā hé zuò fēng}
盼望着能和她合作蜂

^{mì bù dīng} ^{yào bù rán huàn diào}
蜜布丁——要不然换掉

^{tóu shang de jiāo táng} ^{gǎi chéng lín}
头上的焦糖，改成淋

fēng mì yě xíng
蜂蜜也行。

qí shí　　fēng mì shào nǚ　zuì lìng xiǎo xiǎo
其实，蜂蜜少女最令小小

bù dīng rén xīn shǎng de　dì fang　　bú shì tā
布丁人欣赏的地方，不是她

亮晶晶的外表、甜蜜蜜的笑容，而是温柔的性格、善良的心肠。

例如：水果班的牛油果妹妹曾经因为甜度不够，无法通过果汁特训班的魔鬼测验。蜂蜜少女知道了，马上主动表示要帮忙，还找来鲜奶少女一起合作，让牛油果妹妹以牛油果牛奶的身份参加考试，免得被劝退，淘汰到蔬菜班学切片、蘸酱油。

xiǎo xiǎo bù dīng rén shòu
小小布丁人受

dào fēng mì shào nǚ de gǎn zhào
到蜂蜜少女的感召，

yě yǒu lì chū lì yǒu bù
也有力出力，有布

dīng chū bù dīng zhè me yì
丁出布丁。这么一

lái niú yóu guǒ mèi mei de
来，牛油果妹妹的

niú yóu guǒ niú nǎi yòu duō le
牛油果牛奶又多了

yì zhǒng jiā bù dīng de xīn kǒu
一种加布丁的新口

wèi niú yóu guǒ niú nǎi jiā
味。牛油果牛奶加

bù dīng chéng le xià rì yǐn
布丁成了夏日饮

liào diàn jiē shang guǒ zhī bā
料店、街上果汁吧

de chāo rén qì jí rè mén
的超人气、极热门

de yǐn liào
的饮料。

蜂蜜少女默默地做善事，还不肯让自己的

名字出现在价目表上呢！但聪明的消费者都

知道提醒店员："我要加蜂蜜哟！"

无论是消费者还是点心人，总是忍不住

竖起大拇指，对处处为大家着想、热心帮助

别人的蜂蜜少女说："我们Honey真的是个

sweetheart(甜心)，

真的有一颗很甜

很甜的心呢！"

83

lìng wài yuán běn yǐn liào diàn li bú huì mài jià mù biǎo shang méi
另外，原本饮料店里不会卖、价目表上没
shēn jià de bái kāi shuǐ rén yě yīn wei fēng mì shào nǚ de bāng máng shǐ
身价的白开水人，也因为蜂蜜少女的帮忙，使
de méi you chá yè chéng fèn de tā néng zài yǐn liào diàn li bèi dàng zuò mì
得没有茶叶成分的他，能在饮料店里被当作蜜
chá lái mài
茶来卖！

shì qing de jīng guò shì zhè yàng de
事情的经过是这样的——

yì kāi shǐ dà jiā dōu qī zuǐ bā shé de shuō
一开始，大家都七嘴八舌地说：

bái kāi shuǐ zěn me néng suàn shì yǐn liào ne
“白开水怎么能算是饮料呢？”

méi yán sè méi xiāng qì gèng méi wèi dao sè xiāng
“没颜色，没香气，更没味道……色、香、
wèi dōu méi you suàn shén me yǐn liào nǎ li shì měi shí
味都没有，算什么饮料？哪里是美食？”

bái kāi shuǐ yǒu shēn jià ma
“白开水有身价吗？”

rén men yuàn yì tāo qián mǎi ma
“人们愿意掏钱买吗？”

dāng shí xīn qíng dī luò
当时，心情低落

dào gǔ dǐ de bái kāi shuǐ rén
到谷底的白开水人，

yīn wei yù dào le hǎo xīn de fēng
因为遇到了好心的蜂

mì shào nǚ yùn qi tū rán biàn
蜜少女，运气突然变

de chāo jí hǎo rén qì gāo dào
得超级好，人气高到

kuài yào chōng shang tiān
快要冲上天。

tài hǎo hē
"太好喝

le hǎo xiāng hǎo
了！好香，好

tián hǎo hǎo kàn de
甜，好好看的

yán sè dǎ dàn
颜色！"打蛋

qì xiào zhǎng hé jiǎo
器校长和搅

bàn bàng nǚ shì běn lái gēn qí
拌棒女士本来跟其

tā de diǎn xin rén yí yàng
他的点心人一样，

yì diǎnr yě bú kàn hǎo bái
一点儿也不看好白

kāi shuǐ rén bú guò zài cháng
开水人，不过在尝

le fēng mì shào nǚ hé bái kāi
了蜂蜜少女和白开

shuǐ rén hé zuò de mì chá
水人合作的蜜茶

hòu tā men dōu jiāo kǒu chēng
后，他们都交口称

zàn yí ge jìnr de kuā
赞，一个劲儿地夸

jiǎng liǎo bu qǐ liǎo
奖："了不起！了

bu qǐ
不起！"

dé dào fēng mì shào nǚ bāng zhù de bái kāi shuǐ rén　　shēn shēn de shòu
得到蜂蜜少女帮助的白开水人，深深地受

dào tā de yǐng xiǎng　　yě xiǎng bāng zhù bié ren　　　tā bú dàn kāi shǐ sì
到她的影响，也想帮助别人——他不但开始四

chù qù　　fèng chá　　　wèi kǒu kě de lù rén fú wù　　hái ràng rén men
处去"奉茶"，为口渴的路人服务，还让人们

bù guǎn shì dào zhǔ guǎn jī guǎn bàn shì　　hái shi dào cān tīng xiāo fèi　　zài
不管是到主管机关办事，还是到餐厅消费，在

坐下来后都有免费的白开水喝——这是小小布
丁人最佩服蜂蜜少女的地方，她不但想办法把
"蜜"销出去，同时也不忘把"爱"传出去。

kǔ xī xī de mì fēng bà ba
苦兮兮的蜜蜂爸爸

xiǎo xiǎo bù dīng rén hěn gāo xìng jiāo le fēng mì shào nǚ zhè ge péng
小小布丁人很高兴交了蜂蜜少女这个朋

you zhǐ yào hé tā zài yì qǐ tā jiù gǎn dào cóng tóu dào jiǎo dōu
友，只要和她在一起，他就感到从头到脚都

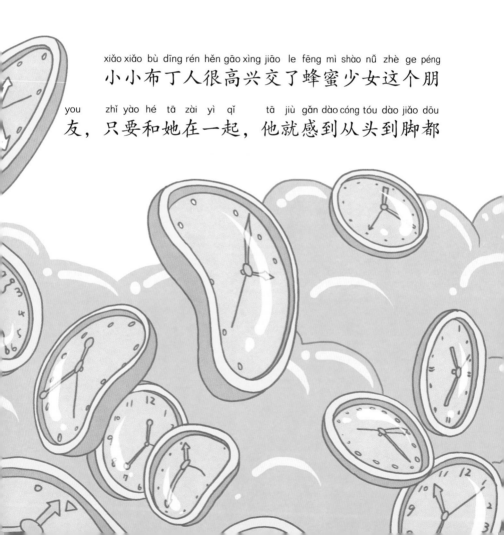

是甜蜜蜜的。他多么希望在学校里的每一分、每一秒，都能跟她待在一起。

有一天，发生了一件奇怪的事——一只蜜蜂飞进了"用点心学校"。

"我们学校也开始

招收昆虫学生了吗？"有学生好奇地问。

"听说有些消费者爱吃炸蟋蟀、炸蝗虫、炸蜘蛛、炸蝎子，甚至炸蟑螂……难道我们学校真的要成立'酥炸昆虫点心班'？"老师们和学生们纷纷这么猜想。

"就算如此，我也没听说过有人炸蜜蜂吃呀！"一位家长志愿者困惑地说。

为了解开大家的疑惑，也为了满足自己的好奇心，小小布丁人上前跟蜜蜂先生打了了声招呼。

fēng mì shào nǚ　　　　wǒ yào zhǎo fēng mì shào nǚ　　　chuǎng rù
"蜂蜜少女……我要找蜂蜜少女！"闯入

xiào yuán de mì fēng xiān sheng gāng shuō wán jiù hūn le guò qù　 dà jiā mǎ
校园的蜜蜂先生刚说完就昏了过去。大家马

shàng bǎ tā sòng dào shā bù hù shi de yī wù shì li
上把他送到纱布护士的医务室里。

fēng mì shào nǚ　yì　jiē dào xiāo xi　　　jiù　mǎ shàng gǎn dào shā bù　hù
蜂蜜少女一接到消息，就马上赶到纱布护

shi nà li　　kàn dào tǎng zài bìng chuáng shang de　mì fēng xiān sheng　　tā dān
士那里。看到躺在病床上的蜜蜂先生，她担

xīn de dà hǎn　　　mì fēng bà ba　　nín zěn me le
心地大喊："蜜蜂爸爸，您怎么了？"

"蜂蜜少女的爸爸是蜜蜂吗？"白开水人觉得古怪，小小布丁人也感到奇怪，其他的老师和学生同样大吃一惊。

"应该是吧……鸡蛋弟弟的妈妈不就是'蛋鸡'吗？牛肉哥哥的爸爸不就是'肉牛'吗？……都是一样的道理呀！"既然有人这么回答，就有人这么相信了。

"纱布护士说蜜蜂先生没事，只不过是因为飞了太久，体力不支了，如果能充分地休息，很快就能恢复精神，一切都会没事的！"

医务室里，小小布丁人安慰着十分紧张的蜂蜜少女。

zài shā bù hù shi de xì xīn zhào liào xia mì fēng xiān sheng huī
在纱布护士的细心照料下，蜜蜂先生恢
fù le jīng shen bǔ zú le yuán qì tā xǐng lai hòu xiān shi chuǎn le
复了精神、补足了元气。他醒来后，先是喘了
yí huìr rán hòu yī yī xiàng bāng zhù guo tā de shī shēng men
一会儿，然后一一向帮助过他的师生们
dào xiè zuì hòu kāi shǐ huā lā lā de pēn chu pù bù bān de
道谢，最后开始哗啦啦地喷出瀑布般的
lèi shuǐ qì hū hū de tǔ chu yí dù zi de kǔ shuǐ
泪水，气呼呼地吐出一肚子的苦水：
wǒ dà lǎo yuǎn de fēi lai zhǎo fēng mì shào nǚ shí zài
“我大老远地飞来找蜂蜜少女，实在
shì pò bù dé yǐ zuì jìn yǎng fēng chǎng de lǎo zhǔ
是迫不得已。最近，养蜂场的老主
ren wèi le xiàng xiāo fèi zhě tuī
人为了向消费者推
xiāo fēng mì hǎn chu le kǒu
销蜂蜜，喊出了口
hào tiē shang le biāo yǔ
号，贴上了标语：
bù chún kǎn tóu
‘不纯，砍头！’”

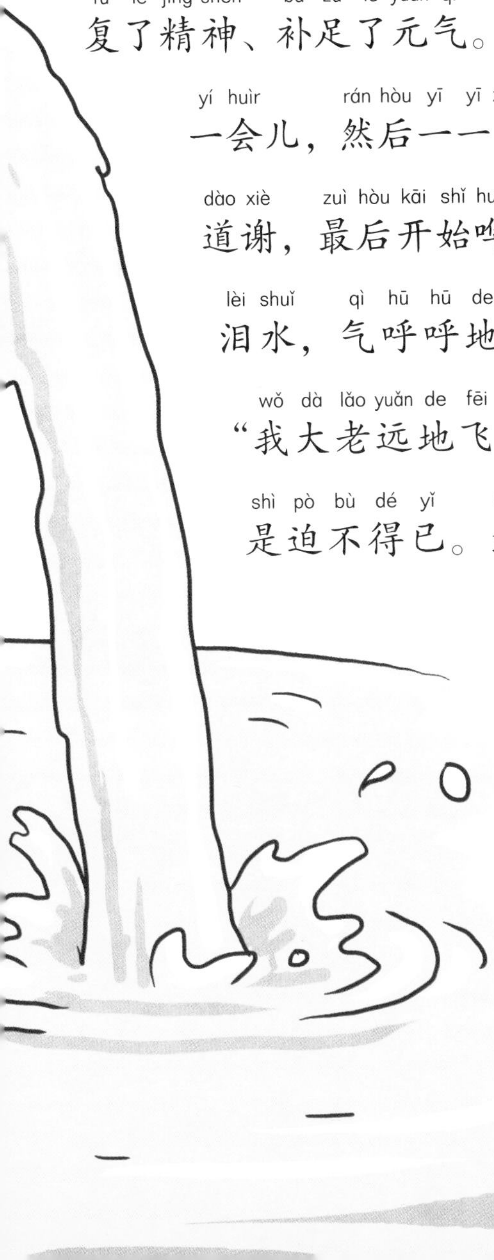

不纯，砍头！

“什么？！人类竟然敢用生命作担保，来保证产品的高纯度，这样豪爽的性情和负责的态度，实在是太难得了！”小小布丁人虽然觉得太过夸张，却不禁为这位养蜂场的老主人叫好。

“刚开始，我也跟你一样，觉得老主人对我们制造的蜂蜜真的很有信心，居然愿意用他自己的人头作担保，拿珍贵的性命来承诺！

suǒ yǐ wǒ hé qí tā mì fēng dōu pīn mìng cǎi huā mì fā shì yào wèi
所以，我和其他蜜蜂都拼命采花蜜，发誓要为
lǎo zhǔ ren zhì zuò chu zuì chún de fēng mì qǔ dé zuì jiā de xiāo shòu chéng
老主人制作出最纯的蜂蜜，取得最佳的销售成
jì mì fēng xiān sheng yì biān huí yì zhe wǎng shì yì biān yǎn lèi
绩！”蜜蜂先生一边回忆着往事，一边眼泪
wāng wāng de shuō wǒ sòng fēng mì shào nǚ dào yòng diǎn xin xué xiào xué
汪汪地说，“我送蜂蜜少女到‘用点心学校’学
xí jiù shì xī wàng tā néng kāi fā chu gèng duō xiāng tián kě kǒu de fēng mì
习，就是希望她能开发出更多香甜可口的蜂蜜
měi shí ràng yǎng fēng chǎng shēng chǎn de fēng mì gèng shòu huān yíng
美食，让养蜂场生产的蜂蜜更受欢迎……”

zhè wèi yǎng fēng chǎng de lǎo zhǔ ren hé mì fēng xiān sheng zhī jiān
“这位养蜂场的老主人和蜜蜂先生之间
de qíng yì zhēn shi lìng rén gǎn dòng a zhàn zài yì páng de shā bù
的情谊，真是令人感动啊！”站在一旁的纱布
hù shi hé shī shēng men dōu rěn bú zhù zàn tàn le qǐ lái
护士和师生们，都忍不住赞叹了起来。

jì rán rú cǐ nín yīng gāi ān xīn de dāi zài yǎng fēng chǎng
“既然如此，您应该安心地待在养蜂场
li zěn me huì tū rán chū xiàn zài xué xiào li hái hūn dǎo le ne
里，怎么会突然出现在学校里，还昏倒了呢？”
xiǎo xiǎo bù dīng rén wèn dào le guān jiàn yě shì yí diǎn
小小布丁人问到了关键，也是疑点。

蜜蜂先生先是哀怨地叹气，继而伤心地哭泣，最后愤愤不平又怒气冲冲地说："后来，我们才发现——虽然养蜂场的老主人发誓'不纯，砍头！'，但要砍的却不是他自己的人头，而是我们蜜蜂的头！"

"什么?!"围在蜜蜂先生身

边的师生们听到后,把嘴巴张得

好大,舌头伸得

好长——尤其是

牛舌饼妹妹,她

的身高变成了原

来的两倍。他们

不敢相信天底下

竟然有这种事,

吃惊得一直大

叫:"太可怕了!

太可怕了!"

"难怪新闻报道说，世界上的蜜蜂愈来愈少了……"小小布丁人恍然大悟地说，"如果养蜂场的人动不动就要砍蜜蜂的头，哪只蜜蜂会傻到去当被砍头的倒霉鬼呢？当然是所有的蜜蜂吓得能逃就逃、能溜就溜！"

"蜜蜂爸爸并不是我的亲爸爸，但要不是他，我可能就跟亲生的花朵爸妈一样，从枝头早早地凋谢，在土里慢慢地腐化……"蜂蜜少女道出了她的身世，然后

又说："幸好蜜蜂爸爸领养了我，他不但拯救了我的生命，还负担了我的学费，送我到'用点心学校'念书，勉励我将来做个有用的点心人。我非常感谢他，他就像我的亲爸爸一样，所以我总是尊敬地称呼他为'蜜蜂爸爸'。"

"原来如此！"大家原本还对两人的父女关系感到相当疑惑，这下子完全明白了。

蜜蜂爸爸好心帮助和鼓励蜂蜜少女念书，这一行为让"用点心学校"的师生既赞同又感动。热心的小小布丁人马上去找两位校长候选人，希望学校能收留蜜蜂爸爸，让他再也不用担心被"砍头"。

"没问题！"正努力争取连任的打蛋器校长，在小小布丁人耳边悄悄地说，"不过……你要答应我一件事，就是帮我调查另一位校长候选人目前的情况……做得到吗？"

"小事一件！"小小布丁人想了想，大方地答应着，"如果没做到，我提头来见！"接着，他又去找搅拌棒女士。

"我答应！"

很想当选新一任校长的搅拌棒女士，在小小布丁人耳边轻轻地说，"不

110

guò nǐ yào chéng nuò wǒ yí jiàn shì jiù shì bāng wǒ tàn chá lìng yí
过……你要承诺我一件事，就是帮我探察另一
wèi xiào zhǎng hòu xuǎn rén xiàn zài de zhuàng kuàng bàn de dào ma
位校长候选人现在的状况……办得到吗？”

xiǎo cài yì dié xiǎo xiǎo bù dīng rén xiǎng le xiǎng shuǎng kuai
“小菜一碟！”小小布丁人想了想，爽快
de dā ying zhe rú guǒ méi bàn dào wǒ līn tóu lái jiàn
地答应着，“如果没办到，我拎头来见！”

jì rán liǎng wèi xiào zhǎng hòu xuǎn rén kāi xīn mǎn yì mì fēng
既然两位校长候选人开心、满意，蜜蜂
bà ba jiù shùn lì de liú le xià lái kào zhe mì fēng nà yǔ shēng jù
爸爸就顺利地留了下来。靠着蜜蜂那与生俱
lái de bǐng fù hé shì dài xiāng chuán de jì néng mì fēng bà ba kāi shǐ
来的禀赋和世代相传的技能，蜜蜂爸爸开始
zài yòng diǎn xin xué xiào dān rèn wén xiāng shī hé yàn táng yuán suǒ
在“用点心学校”担任闻香师和验糖员。所
yǒu fēi tiān rán de rén zào xiāng liào tā yì wén jiù zhī dao rèn hé
有非天然的人造香料，他一闻就知道；任何
wěi zhuāng chéng táng mì de huà xué táng jīng tā yì cháng jiù qīng chu
伪装成糖、蜜的化学糖精，他一尝就清楚。

yǒu le mì fēng bà ba xiāo fèi zhě duì cóng yòng diǎn xin xué xiào
有了蜜蜂爸爸，消费者对从“用点心学校”
bì yè de měi shí xué sheng gèng jiā fàng xīn le
毕业的美食学生更加放心了！

yǒu yì tiān　　liǎng wèi xiào zhǎng hòu xuǎn rén tóng shí　lái zhǎo xiǎo xiǎo

有一天，两位校长候选人同时来找小小

bù dīng rén　　tā men yì liǎn nù qì　　yì kǒu tóng shēng de shuō

布丁人，他们一脸怒气，异口同声地说：

xiǎo xiǎo bù dīng rén　nǐ jìng gǎn piàn wǒ　　nǐ dā ying gěi wǒ de xiāo

"小小布丁人，你竟敢骗我！你答应给我的消

xi ne　　　shuō wán　　tā men liǎ mǎ shàng yòng huái yí de yǎn shén dèng

息呢？"说完，他们俩马上用怀疑的眼神瞪

zhe duì fāng

着对方。

duì bu qǐ　　　xiǎo xiǎo

"对不起！"小小

bù dīng rén lǎo zǎo jiù zhǔn bèi

布丁人老早就准备

hǎo gāi rú hé yìng duì zhè yí mù

好该如何应对这一幕

le　　tā bù huāng bù máng de

了，他不慌不忙地

shuō　　qǐng fàng xīn　　wǒ shuō dào

说，"请放心，我说到

zuò dào

做到……"

tā de huà hái méi shuō wán

他的话还没说完，

fēng mì shào nǚ jiù lǐng zhe yì
蜂蜜少女就领着一
qún shū cài bān de tóng xué zǒu
群蔬菜班的同学走
guo lai
过来。

xiǎo xiǎo bù dīng rén yòng
小小布丁人用
yòu shǒu tí qi bái luó bo rén duì dǎ dàn qì xiào zhǎng shuō nín jiàn
右手提起白萝卜人，对打蛋器校长说："您见
dào de zhè wèi chuò hào shì cài tóu tā bà mā dōu jiào tā xiǎo
到的这位，绰号是菜'头'，他爸妈都叫他小
luó bo tóu
萝卜'头'！"

xiǎo xiǎo bù dīng rén yòng zuǒ
小小布丁人用左
shǒu tuō qi lìng liǎng gè tóng xué duì
手托起另两个同学，对
jiǎo bàn bàng nǚ shì shuō nín jiàn
搅拌棒女士说："您见
dào de zhè liǎng wèi dà de shì yù
到的这两位，大的是芋
tou xiǎo de shì suàn tóu
'头'，小的是蒜'头'！"

lìng wài mán tou xiǎo zi wō wo tóu rén dà tóu cài tóng
另外，馒头小子、窝窝头人、大头菜同
xué shèn zhì lián shī zi tóu xué zhǎng hóng cōng tóu lǎo shī dōu gǎn lai
学……甚至连狮子头学长、红葱头老师都赶来
bāng zhù xiǎo xiǎo bù dīng rén wán chéng tí līn tóu lái jiàn de nuò
帮助小小布丁人完成“提（拎）头来见”的诺
yán
言。

zhè li yǒu hěn duō kē tóu kàn nín liǎng wèi shì yào duò
“这里有很多颗‘头’，看您两位是要剁
ne kǎn ne hái shi yào qiē ne jiǎo ne zěn me yàng dōu kě
呢、砍呢，还是要切呢、绞呢……怎么样都可
yǐ wō wo tóu rén háo shuǎng de shuō yì páng de suàn tóu xiǎo zi
以！”窝窝头人豪爽地说。一旁的蒜头小子
tīng le lì kè diǎn tóu rú dǎo suàn
听了，立刻点头如捣蒜。

yòng diǎn xin xué xiào li zǒng shì
“‘用点心学校’里，总是
bù quē yuàn yì wèi péng you shàng dāo shān xià yóu
不缺愿意为朋友上刀山、下油
guō de diǎn xin rén xiǎo xiǎo bù dīng rén gǎn
锅的点心人！”小小布丁人感
dòng wàn fēn de shuō
动万分地说。

看见小小布丁人找来那么多的点心

人'头'，两位校长候选人又生气又羞愧，

加上人挤人、空气太闷，竟然双双昏倒了。

大家赶紧把他们送到了医务室……

幸亏有蜜蜂爸爸！为了报答纱布护士，他

时常到医务室帮忙，此刻一见到两位昏过去

的校长候选人，就赶紧用"蜂针"疗法把他们

救醒。他因此进一步证明了自己的价值，获得

了在"用点心学校"继续工作的

机会。

蜜蜂爸爸不

但能确保点心的

pǐn zhì yōu liáng gèng zhì hǎo le
品质优良，更治好了

xǔ duō bìng huàn tā hái qǐ fā
许多病患。他还启发

shā bù hù shi zài dǎ zhēn shí
纱布护士在打针时，

bǎ yuán běn guāi bú huì
把原本“乖，不会

tòng dǎ zhēn jiù xiàng bèi wén
痛，打针就像被蚊

zi dīng yí xià de shuō fa
子叮一下”的说法，

gǎi chéng le guāi bú huì
改成了“乖，不会

tòng dǎ zhēn jiù xiàng bèi
痛，打针就像被

mì fēng dīng yí xià
蜜蜂叮一下”，

xià de diǎn xin rén men gèng
吓得点心人们更

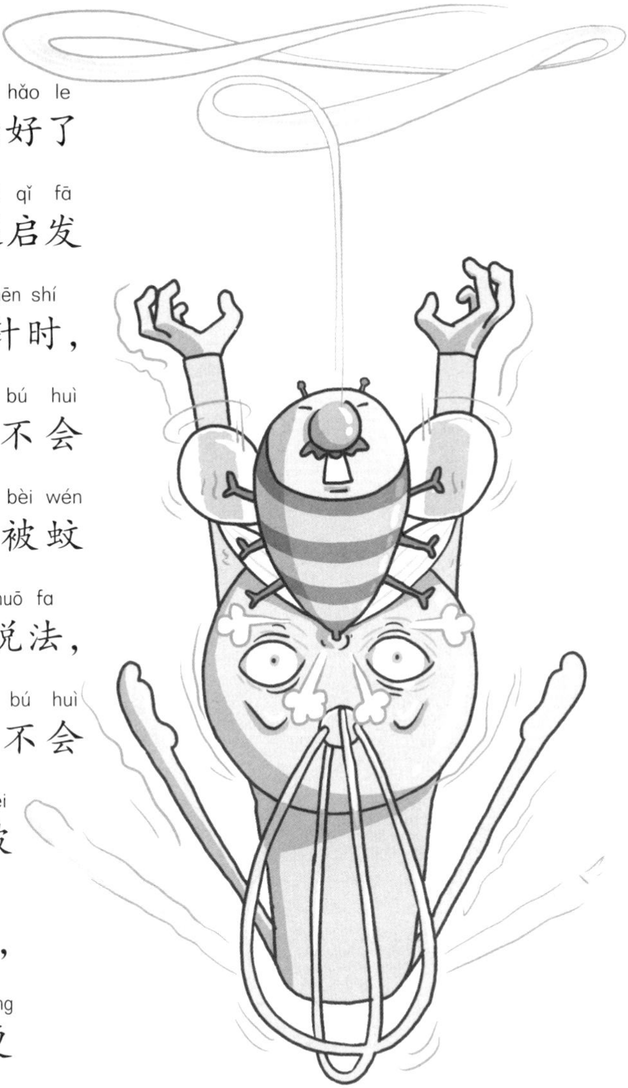

jiā zhù yì wèi shēng nǔ lì bǎo chí jiàn kāng shí shí tí xǐng zì jǐ
加注意卫生，努力保持健康——时时提醒自己

qiān wàn bù néng shòu shāng jué duì bú yào shēng bìng
千万不能受伤，绝对不要生病！

花枝招展的花枝学姐

"用点心学校"里，花枝学姐

最重视自己的外表，每天都打扮

得漂漂亮亮的去上课。就算

到烤炉老师那儿学

习如何烤花枝，她

也特别注意炭火的

大小、翻面的次数、

时间的长短，还

有烤肉酱的

成分，就怕

一不小心烤

焦了她粉嫩

的肌肤，破

坏了她

完美的

形象。

很早以前，小小布丁人就通过蛋煎小子认识了花枝学姐，也知道她后来和丸子兄弟合作的花枝丸儿十分受欢迎。但是，他听说有些老师和家长不太喜欢花枝学姐的时髦打扮。

"重视自己的外表，是一种尊重别人的表现！"花枝学姐总是一边说，一边抹

着烤肉酱老师研发的新款防晒油（这种供花

枝专用的防晒油不仅防晒，还可以防止烤得

太焦，而且轻轻松松地就能帮她烤

出、晒出

健康的小

麦肤色）。

"可是，你化妆化得这么浓，穿衣穿得这么美，在学校里不像学生，倒像老师了！"小小布丁人好心地提醒她。

"说得好！"花枝学姐并不介意，反而大声称赞小小布丁人有眼光。她接着解释说："我选用的化妆品中，不仅防晒油是由烤肉酱老师遵循

chuán tǒng pèi fāng shǒu gōng zhì zuò ér chéng de qí tā de yě tǒng tǒng
传统配方、手工制作而成的，其他的也统统
shì yòng tiān rán de yǒu jī de yuán liào tiáo pèi ér chéng de ér
是用天然的、有机的原料调配而成的……而
wǒ zhī suǒ yǐ kàn qi lai xiàng lǎo shī shì yīn wei wǒ de huà zhuāng pǐn
我之所以看起来像老师，是因为我的化妆品
quán shì běn xiào lǎo shī sòng wǒ de ér qiě shì tā men zuò gěi zì jǐ yòng
全是本校老师送我的，而且是他们做给自己用
de hú jiāo guàn lǎo shī sòng gěi wǒ fěn dǐ là jiāo lǎo shī sòng gěi
的！胡椒罐老师送给我粉底，辣椒老师送给
wǒ sāi hóng jiè mo lǎo shī sòng gěi wǒ yǎn yǐng lián wǒ shēn shang
我腮红，芥末老师送给我眼影……连我身上
de zhè jiàn zhǐ dài yī fu dōu shì dà dòu shā lā yóu lǎo shī sòng gěi wǒ
的这件纸袋衣服，都是大豆沙拉油老师送给我
de tā zuì jìn mí shang le yóu huà zhè jiàn yī fu shang de tú
的——他最近迷上了油画，这件衣服上的图
àn jiù shì tā zì jǐ huà de ne ér wǒ shì yīn wei cái yì biǎo xiàn chū
案就是他自己画的呢！而我是因为才艺表现出
sè xué yè chéng jì yōu liáng cái huì huò dé zhè xiē jiǎng pǐn de
色、学业成绩优良，才会获得这些奖品的！”

wā xué jiě zhēn lì hai xiǎo xiǎo bù dīng rén duì huā zhī
“哇，学姐真厉害！”小小布丁人对花枝
xué jiě de yìn xiàng wán quán bù yí yàng le
学姐的印象完全不一样了。

wǒ suī rán ài měi　　què shí fēn yǒu yuán zé　　xiàng gé bì
"我虽然爱美，却十分有原则……像隔壁

huà gōng xué xiào de nán xué sheng xiǎng sòng gěi wǒ xiāng shuǐ　xiāng jīng　　wǒ
化工学校的男学生 想送给我香水、香精，我

hái bù jiē shòu ne　　huā zhī xué jiě yáng qǐ xià ba　　shí fēn jiāo ào
还不接受呢！"花枝学姐扬起下巴，十分骄傲

de shuō　　lǎo shī jiāo de　　wǒ tǒng tǒng tīng le jìn qù　　shén me
地说："老师教的，我统统听了进去——什么

gōng yè xiāng jīng　　huà xué tiān jiā jì　　jué duì bù néng pèng
工业香精、化学添加剂，绝对不能碰！"

124

"是呀！我们'用点心学校'强调的就是：健康、自然、无毒！"小小布丁人点头点个不停，但又立刻提出另一个问题："不过，学姐来学校上课，用不着打扮得这么正式和美丽呀，反正大家都很熟悉，不会介意彼此的穿着的。你天天这样装扮，难道不觉得很浪费时间吗？"

“你忘了吗？我们学校除了讲求健康、自然、无毒，还强调色、香、味俱全……况且有个成语叫‘花枝招展’，就是形容女生打扮得又美丽又迷人。我是‘花枝’，当然得重视外表，讲究穿着，‘招’来粉丝，‘展’示时尚，

zhè yàng cái suàn zhēn zhèng de　huā zhī
这样才算真正的‘花枝

zhāo zhǎn　　na
招展’哪！”

huā zhī zhāo zhǎn　　zuì zǎo shì
“‘花枝招展’最早是

zhǐ kāi zhe huār　de shù zhī suí fēng yáo
指开着花儿的树枝随风摇

bǎi　zī tài yōu měi　tā hòu lái cái
摆，姿态优美。它后来才

bèi yòng lái xíng róng nǚ zǐ dǎ ban de shí
被用来形容女子打扮得十

fēn yàn lì　xué jiě　zhè ge chéng
分艳丽……学姐，这个成

yǔ gēn huā zhī méi you guān xi ba
语跟花枝没有关系吧？”

xiǎo xiǎo bù dīng rén yì biān fān zì diǎn
小小布丁人一边翻字典，

yì biān shuō
一边说。

127

"学弟，你看我这十只花枝脚随风摇摆起来，会比树枝差吗？何况有些小树的树枝，连十根都不到呢？……"花枝学姐不服气地说，"我们'花枝'一点儿也不比'开花的树枝'差！"

"是……是……"小小布丁人看花枝学姐

kuài fā huǒ le　　lián máng diǎn tóu dā ying zhe
快发火了，连忙点头答应着。

　　huā zhī xué jiě　　jiàng yóu lǎo shī zhǎo nǐ　　　rè gǒu xiǎo zi
　"花枝学姐，酱油老师找你！"热狗小子

cóng yuǎn chù chōng guo lai chuán huà　　hái zhǐ zhe tā jiē jiē bā bā de shuō
从远处冲过来传话，还指着她结结巴巴地说，

　　nǐ　　　nǐ cǎn la
"你……你惨啦！"

　　tīng qǐ lai hǎo xiàng hěn yán zhòng　　xiǎo xiǎo bù dīng rén yě gēn zài
　　听起来好像很严重，小小布丁人也跟在

huā zhī xué jiě de hòu miàn　　xiǎng zhī dao dào dǐ fā shēng le shén me shì
花枝学姐的后面，想知道到底发生了什么事。

办公室里，酱油老师擦了擦眼镜，让花枝学姐先坐下来。小小布丁人躲在办公室的门口偷看，发现花枝学姐的爸爸妈妈也在场。

"花枝先生，花枝太太，今天请两位来，是想谈谈你们的女儿近来的表现……"酱油老师叹了一口气，继续说，"我们这些老师一致觉得花枝同学过分注重外表，担心她这样很

可能会压抑她的潜力，降低她的智力，影响她的学习，害她变成没有内涵的点心人！"

méi děng huā zhī bà ba huā zhī mā ma shuō huà huā zhī xué jiě
没等花枝爸爸、花枝妈妈说话，花枝学姐

jiù qiǎng xiān huí dá lǎo shī nín zhè yàng shuō jiù shì zài mǒ hēi
就抢先回答："老师，您这样说，就是在抹黑

wǒ wǒ men huā zhī zuì pà hēi le kǎo huā zhī shí rú guǒ
我！我们花枝最怕'黑'了。烤花枝时，如果

kǎo tài jiǔ jiù huì kǎo jiāo biàn hēi chǎn shēng zhì ái de wù zhì
烤太久，就会烤焦、变黑，产生致癌的物质，

wēi hài gù kè de jiàn kāng yǐng xiǎng diàn jiā de shēng
危害顾客的健康，影响店家的生

yi pò huài xué xiào de míng shēng yīn cǐ kǎo
意，破坏学校的名声。因此，烤

lú lǎo shī bù kě yǐ kǎo jiāo wǒ nín yě
炉老师不可以烤焦我，您也

bù gāi mǒ hēi wǒ
不该抹黑我！"

méi cuò
"没错！

suī rán wǒ men huā
虽然我们花

zhī yòu jiào   wū
枝又叫 '乌

zéi   dàn wǒ men
贼'，但我们

jué bù jiē shòu yīn
决不接受因

wei yì diǎn diǎn
为一点点

wū hēi   jiù
'乌黑'，就

bèi wù huì chéng
被误会成

zéi
'贼'……"

huā zhī bà ba shuō
花枝爸爸说

dào zhè lǐ   hé
到这里，和

huā zhī mā ma bǐ
花枝妈妈彼

此看了看，觉得女儿说得很有道理，就异口同声地说："就算您是老师，也不可以随便误会我们的女儿！"

"唉……这个……"酱油老师有点儿不好意思地对花枝学姐说，"花枝同学，老师的意思是希望你多加充实内在，别光修饰外表，要效法老师我虽然一肚子的学问，却谦虚得'黑瓶子装酱油——看不出来'！说不定，你将来还能出国留学，跟奶酪老师、芥末老师、莎莎酱老师和西洋芹老师一样，喝了洋墨水再回来。总之，老师希望你别做个肚子里没有墨水的点心人！"

"老师，您不该只凭外表来判断我。您这么说，根本是大错特错！我们花枝又叫'墨鱼'，天生肚子里就装满墨水。而且喝洋墨水这种事，根本难不倒我们花枝家族！老师，我们花枝的肚子里，不管是太平洋、大西洋、印度洋……总之，各种口味的'洋'墨水都有！"花枝学姐得意地回答。

花枝爸爸和花枝妈妈不停地点头，表示赞

同。而酱油老师却忍不住恼羞成怒地说："花枝同学，你别打迷糊仗了……"

lǎo shī wǒ men huā zhī dù zi li de mò shuǐ jiù shì zài
"老师，我们花枝肚子里的墨水，就是在

yù dào wēi xiǎn shí zhuān mén pēn chu lai rǎo luàn dí rén de fāng xiàng mó
遇到危险时，专门喷出来扰乱敌人的方向，模

hu duì fāng de shì xiàn de huā zhī xué jiě tāo tāo bù jué de shuō
糊对方的视线的！"花枝学姐滔滔不绝地说。

zài bàn gōng shì wài miàn tōu tīng de xiǎo xiǎo bù dīng rén xīn li duì
在办公室外面偷听的小小布丁人，心里对

huā zhī xué jiě shí fēn pèi fu
花枝学姐十分佩服。

cóng cǐ yǐ hòu xiǎo xiǎo bù dīng rén gèng jiā chóng bài huā zhī xué
从此以后，小小布丁人更加崇拜花枝学

jiě le tiān tiān gēn zài tā de shēn hòu xiàng tā qǐng jiào shí shí wéi zài
姐了，天天跟在她的身后向她请教，时时围在

tā de shēn páng xiàng tā xué xí tā jiàn jiàn de
她的身旁向她学习。他渐渐地

fā xiàn huā zhī xué jiě zhēn shi yí gè tóng shí
发现，花枝学姐真是一个同时

zhù zhòng nèi zài sù zhì hé wài zài xíng xiàng de hǎo
注重内在素质和外在形象的好

xué sheng tā bú dàn rèn zhēn yòng gōng de xué xí
学生，她不但认真用功地学习，

hái zài fàng xué hòu huā shí jiān bāng xué dì xué mèi
还在放学后花时间帮学弟学妹

men jiě jué kè yè shang de nán tí
们解决课业上的难题。

lì rú zài tā de bāng zhù hé jiào dǎo
例如：在她的帮助和教导

xia miàn tiáor mèi mei hé miàn bāo xiǎo zi fēn
下，面条儿妹妹和面包小子分

bié biàn chéng le mò yú miàn tiáor mò yú miàn
别变成了墨鱼面条儿、墨鱼面

bāo shòu dào gù kè de huān yíng hé qīng lài ne
包，受到顾客的欢迎和青睐呢！

小小布丁人的联络簿之第十一页

神农五千○七年一月十五日　星期三

今天的功课

数学作业	卡路里（热量的计量单位）的计算
语文作业	预习第十课海鲜故事"鹬蚌相争"。

明天应带的物品、健康检查项目

应带的物品	布丁匙、奶油球。
健康检查项目	检测农药、抗生素、铜叶绿素。

联络事项

在校表现	□吃惊 □食指大动 □嚼舌根 □活泼泼 □慢吞吞 ■垂涎三尺 □眼到 □手到 □心到 ■口到
老　师	一、贵子弟和花枝合作研发黑布丁 　　失败，请家长开导、安慰。 二、附投票邀请卡一张。
家　长	学生到家时间：

家长签名：

投 票
邀请卡

尊敬的家长及
新任校长票选活

候选人：

1 打蛋器先生

老顾客，你们好！本校即将举办活动，敬请光顾，选贤与能。

2 搅拌棒女士

用点心学校 **敬邀**

141

吸引孩子眼光的作品

陈安仪

《用点心学校》刚出版时,女儿就告诉我她很喜欢这本讲"点心"的书。我当时不知道那是我大学学弟哲璋写的书,还以为她突然对食谱感兴趣了! 女儿连忙解释:"不是啦! 那是一本故事书,不过主角是一个布丁。"我听了觉得很好玩儿,心想:"现在的儿童文学作家,还真是有创意呀!"

后来,女儿在书店看到后续的《好新鲜教室》,又要求我买。当时,我只是随意翻了翻,也没仔细看内容,看到里面图画可爱、情节简单,便觉得它显然是给小学低中年级学生读的桥梁书,于是忍不住皱起眉头说:"你都已经上五年级啦! 这本书对你来说,会不会太幼稚呀?"

女儿见我不是很赞同,便苦着脸大声抗议道:"人家觉得很好看嘛!"

"好啦! 好啦! 我请出版社的编辑阿姨送你一套。"我见状只好随口敷衍一番。

后来,眼看这套小书逐渐成了"故事奇想树"系列中的"当红炸子鸡",每次去书店都看到它们被摆在显眼的地方,我才好好地读了一遍——果然是一套香喷喷、甜蜜蜜的"点心"书。读完了,我才真正明白这套小书的魅力所在——原来,哲璋不但善于选择"食材",更善于"料理"语言,把许多关于食物和味觉的成语、俚语、名言、典故、歇后语……用双关的方式进行拆解、混搭,制造出幽默有趣的效果,让人印象深刻! 难怪孩子们不分年龄，都会喜欢！

　　说实话，如果不是看了《用点心学校》《好新鲜教室》《老师真够辣》《学生真有料》，我还真没发现——在我们华夏文明的语言文字当中，关于食物的字、词以及成语，竟然有这么多，还这么有趣！比如，在这本《香蕉不要皮》中，就涉及"皮"字的许多用法：顽"皮"捣蛋、失恋要吃香蕉"皮"、抽筋剥"皮"……果然，"皮"繁不及备载（"皮"实在太多了，其中有很多都来不及备案记载下来）！哲璋还很厉害地把很多食物（如：香蕉牛奶、香蕉蛋糕、香蕉冰淇淋……）联想在一起，并且天马行空地把前四本出场的人物也拉了过来……这等挥洒自如的创意，真是令人叹为观止呀！

　　对儿童文学作家来说，最困难的地方，就是作品要能吸引孩子们的眼光。哲璋的作品不八股、不说教，清新脱俗且趣味十足，实在难得。感谢哲璋多年来在儿童文学的园地中默默耕耘，为孩子们写出这么多可爱的童书，让孩子们领略阅读的快乐！

　　（本文作者为知名亲子作家）

故事奇想树

图书在版编目(CIP)数据

香蕉不要皮 / 林哲璋著；BO2绘. —青岛：青岛
出版社，2016.4
（故事奇想树）
ISBN 978-7-5552-3724-2

Ⅰ.①香… Ⅱ.①林… ②B… Ⅲ.①儿童文学－图画
故事－中国－当代 Ⅳ.①I287.8

中国版本图书馆CIP数据核字（2016）第054618号

书名/故事奇想树：香蕉不要皮　林哲璋著、BO2绘
中文简体字版由台湾远见天下文化出版股份有限公司授权出版。
山东省版权局著作权合同登记号　图字：15-2016-052

书　　名	故事奇想树：香蕉不要皮
著　　者	林哲璋
绘　　者	BO2
出版发行	青岛出版社
社　　址	青岛市海尔路182号（266061）
策划编辑	谢　蔚　刘怀莲
责任编辑	梁　颖
特约审校	李玉海
照　　排	青岛佳文文化传播有限公司
印　　刷	青岛乐喜力科技发展有限公司
出版日期	2016年7月第1版 2016年7月第1次印刷
开　　本	32开（889mm×1194mm）
印　　张	4.5
字　　数	90千
书　　号	ISBN 978-7-5552-3724-2
定　　价	20.00元